낭랑 18세
편지를 품은 시

시쓰는 문과생이 친구에게 보내는 시

낭랑 18세 편지를 품은 시

발 행 | 2023년 12월 19일
저 자 | 권강우
펴낸이 | 한건희
펴낸곳 | 주식회사 부크크
출판사등록 | 2014.07.15.(제2014-16호)
주 소 | 서울특별시 금천구 가산디지털1로 119 SK트윈타워 A동 305호
전 화 | 1670-8316
이메일 | info@bookk.co.kr

ISBN | 979-11-410-6084-8

www.bookk.co.kr

낭랑 18세
편지를
품은
시

권강우 지음

CONTENT

안녕하세요. '시쓰는 문과생' 권강우입니다.

18세. 고등학교 2학년. 문과. 아이에서 성인으로 스며드는 길목에 서서, 고등학생의 눈으로 세상을 바라보는 것은 항상 설렙니다. 마치 밤과 새벽의 연결점이 되어 빛을 밝히는 가로등처럼 온통 캄캄한 현실이지만 덕분에 소중한 빛깔들도 제게 비칩니다. 특히 입시의 혹독함에 지칠 때, 가만히 주변 친구들을 둘러보면 개개인이 가진 찬란한 색체에 눈이 멀 것만 같습니다. 힘든 순간을 공유하고 있다는 사실만으로도 큰 위로이자 힘이 됩니다.

또래 중에서는 흔하지 않을 제 취미, '시 쓰기'에 무척이나 뜨거운 반응을 보인 고마운 친구들이 많습니다. 1학년 1학기를 마칠 즈음, 한 친구가 처음으로 본인에 대한 주제로 시를 써달라 부탁했습니다. 해주고 싶은 말이 많던 친구여서 어느 때보다 진심을 담아 시를 선물했습니다. 그것은 편지이자 시. 어쩌면 그 사이 어딘가에 놓인 편'시'였습니다. 그 때부터 제 시가 점차 친구들의 입소문을 타며 반에서 전교로, 전교에서 다른 학교로 퍼지고, 나아가 연락이 끊겼던 초등학교 동창에게 다시 연락이 오기까지 했습니다.

그렇게 때론 어제를, 때론 몇 년 전을 회상하며 썼던 시들은 시나브로 모여 어느새가 수십 편의 작품이 되었습니다. 시와 해설을 겸하여 건네던 친구들에게로의 선물도 이제는 당연한 저의 일과가 되었습니다.

이 책에서는 만남, 응원, 긍정, 존재, 이별의 5가지 키워드로 파트를 나누고 친구들에게 선물했던 시와 뒷이야기를 담았습니다. 제 시에 대한 친구들의 사랑과 관심 덕에 입시 시작의 고통을 '시작(詩作)'의 즐거움으로 극복했습니다.

이를 기억하고자 책을 펍니다.

2023년 12월 16일

권강우(@poem_._poetry, 시쓰는 문과생)

제1화 보고 싶어서

빛을 품은 먼지

무수한 열쇠가
부서지고 버려지고
한 줄의 끈이
문틈을 극복한 기억 아래

버티지 않은 닫혀진 문
너의 세상과
나의 세상의
흐르는 물과 같은 만남

침침한 방에
빛이 깊이 들어앉을 때
방 안을 메운건
없던 먼지들

썩지 않은 해골물을
마시는 우매함보다
썩은 해골물을

버릴 수 있는 지혜가
소중할테니
빛을 품은 먼지를
고이 보낸다

올해, 염원한 빛을
곁에 얻은 날

그렇게
오래, 영원할 빛이
곁에 놓인 날

너를 담은 밤

너를 담은 밤이다

탁한 줄만 알았던 어둠이
누구보다 맑은 밤이다

너를 담은 밤,
모를 이유로
설렌 마음은
좋아서 그랬나보다
열정있는 너를
가까이 배울 수 있으니

너를 담은 밤,
내가 받은 것은
보석같은 별빛이었다
오래 염원하던 보석이어서
더 아름다운 별빛이었다

너를 담은 밤,
시작이 반이라는 말에
언젠가 오지 않을 끝을 위해서
빗금을 쭉쭉 그었다
끝이 가까워지는 건 싫었으니까

그래, 너를 담은 밤이다
저 새까만 밤하늘마저
구석구석 영롱한 밤이다

돌담은 낮았다

돌담 하나를 사이에 두고
한참을 헤맸다

사다리가 있을 때면
한 발 내딛다가도
구름이 스치는 돌담에
도로 뒤척이는

그래도
발 내밀지 않은 채
날으려는 새가 되긴 싫어서
울컥 솟았다

서투른 날갯짓이
순풍을 타고

한결 가벼운 바람으로
맞이한 돌담 너머

다시 뒤돌아 본
돌담은 한참을 낮았으니

다시금 쌓여가는
돌담 위에
씨앗을 뿌리고
벽 세우지 못할
생명을 심는다

총체

내가 본 여름과
내가 본 가을과
내가 본 겨울은
한 줌의 벚꽃잎이 되어
너에게 수렴한다
너로 하여금
세상은 하나의 총체가 된다

흐르는 말과
굳센 마음이
배산임수를 그려내면
우리는 한 폭의
절경을 이룰테니

나는 그곳에
집을 지었다
시간을 담보로
우리를 보증하는

날짜 없는 계약을

밝아오는 동녘 하늘에 서명한다

길

나는 길을 따라
올라갔습니다

언젠가 누군가
어설프게 그려둔
팻말을 부여잡고
길이 난 곳은 난대로
길이 막힌 곳은 막힌대로
때론 그려도 봤습니다

길 옆에 난 풀꽃들이
나를 반겨줍디다

아주 지나버린 그 길을
오늘 다시 가봤습니다

여전히 길이었습니다
그 날 남긴 발자취는

또다시 어설픈 팻말이 되어
갈팡질팡 저들의
길을 펼쳐주덥니다
강산이 변해도
길은 변하지 않았습니다

길 옆에 울창한 가로수들이
나를 슬며시 안내해줍디다

새싹의 선물

새로이 돋아나는
새싹의 계절

내 곁에 솟아난
너의 모습은
자세히 보지 않아도
예쁠 모습이었다

그런 네가
오래 나에게
뿌리내리고 있었음은
내 지난 시간들에
가치를 부여하는 것이라고
전해주고 싶었다

현재에서 과거에게
지금에서 그동안에게
너에서 나에게

의미를 더해준
이 기억을, 너의 선물을
깊이 간직하겠다

연

어릴 적 나는
먼지없는 하늘 아래
연을 날렸다

형형색색
수많은 연은
비가 오는 날엔
나와 함께 젖었고
해가 쨍한 날엔
나와 맘껏 빛났다

그러다
꽃샘바람이 불어오면
몇몇은 이내
저멀리 날아버리고

뒤늦게 손을 뻗어도
허공뿐이 잡혔다

뒤늦게 손을 뻗어도
정말 허공뿐이 잡혔다

수백의 구름이
하늘을 유유히
긴 날을 보내고
간 너를 잊을 즈음
순백의 구름 옆
꽃을 단 연 하나가 떨어지더라
떨어지는 연에 닿은 날

조그맣던 점이
연의 모습을 갖추고
진실하게 다가오면

네가 묻는 안부에
추억 속 기억, 또 기억을 더하여
나는 깐부를 답하겠다

바다가 되어

기억의 바다 너머
넘실거리는 파도 속으로
멀어가던 뒷모습에

서서히 가슴으로
스며드는 너를 보며
난생처음
희미해가는 색감이 미워졌다

빛바랜 붓으로
파란 도화지를
아무리 휘저어도
도로 색을 덮는
파란 악몽에

수영조차 못하면서
구명조끼도 없이
그저 마음으로

덤벼든 물 속에서 흘린 눈물은
비로소 바다를 적셨다

투명해진 물 위에서
주위를 둘러보니
너는 다시 곁에 있었다

그렇게
깨달은 나를 만나고
꽤 다른 날을 누렸다

윤슬이 아리따운 바다에
서서히 함께 스몄다

보이지도 않게 아주 놓쳐버린 뒤
고고히 흐르는 시간 앞에서
싶은 것을 돌이켜 누리는 건
어림없는 소망이기에

네가 곁에 있음을
가벼이 여기지 않는다

공기방울들이 꿈처럼 터진다

1화 뒷이야기

#만남 #재회 #친해지고_싶던

1화에서 담아낸 시 7편은 만남과 재회에 대한 작품이었다. 모든 인간관계는 만남에서 시작하여 이별로 마무리되고 재회로써 새로운 시작의 기회를 얻는다. 2021년 3월, 고등학교에 입학한 뒤 내겐 유난히 기억에 남는 만남이 많았다.

만남에는 다양한 유형이 있다. 무척이나 친해지고 싶은데 접점이 없어서 가까워지기 어려웠던 만남, 잘 맞아서 처음부터 가까워진 만남, 전혀 예상치 못한 접점으로 이루어진 의외의 만남, 먼저 다가와 주어 고마웠던 만남, 꽤 시간이 흘러 희미해지던 기억이 선명해지는 재회.

[빛을 품은 먼지](p.10), [너를 담은 밤](p.12), [돌담은 낮았다](p.14)는 과거 친해지고 싶었지만 접점이 많지 않아 가까워지기 어려웠던 친구들에게 훨씬 친해진 지금 내가 느끼는 감정을 전하고자 쓴 시다. [충체](p.16)는 첫 만남부터 대화가 잘 통하여 지금도 대화하면 마치 하나 된 듯 마음이 편해지는 친구에게, [길](p.18)은 동아리 활동 중 우연히 연

락이 닿은 우리 동아리의 7년 전 부장 대선배님께, [새싹의 선물](p.20)은 올해 내게 먼저 다가와 준 고마운 후배에게, [연](p.22)과 [바다가 되어](p.24)는 중학교 이후 이별했지만 다시 연락이 닿은 소중한 친구들에게 전하는 시였다.

마더 테레사는 만남에 관해 '당신을 만나는 모든 사람이 당신과 헤어질 때는 더 나아지고 더 행복해질 수 있도록 하라'고 말했다. 만남에 대한 시를 쓰면서, 내게 만남이 큰 의미로 다가온 사람들을 떠올리면서 이 말이 크게 와닿았다.

혹자는 만남에 대하여 이별의 예고라고 지적할지도 모르지만, 나는 언젠가 피할 수 없을 이별 덕분에 만남이 더 큰 가치를 가진다고 생각한다. 우리는 이별의 존재를 알지만, 그 시점을 특정할 수 없어서 마더 테레사의 명언을 실천하기 위하여 순간을 소중히 하고 함께하는 사람에게 집중해야 한다. 이별은 만남을 무의미하게 하는 대신, 만남 이후 내가 그 사람에게 더욱 헌신해야 할 근거가 된다.

[바다가 되어]의 8연이 이런 내 마음가짐을 잘 투영한다.

보이지도 않게 아주 놓쳐버린 뒤
고고히 흐르는 시간 앞에서
싫은 것을 돌이켜 누리는 건
어림없는 소망이기에
네가 곁에 있음을
가벼이 여기지 않는다
- [바다가 되어] 中 -

이별하고서 만남의 시절을 돌이켜 후회하는 것은 의미 없는 일이기에, 테레사가 한 말처럼 상대가 나와의 만남을 후회하지 않도록 이별이 오기까지 상대를 더 행복하게 하겠다. 상대를 만날 수 있을 때, 기회를 허비하지 않겠다.

그 누구든, 만남에 감사하자. 그 누구도, 곁에 있음을 가벼이 여기지 말자.

제2화 잘 이겨내고 있어서

피사가 되어라

세상에
정확한 원형이 없듯
세상에
정확한 인간도 없다

에펠탑만이
정답은 아니기에
완전해야만
아름다운 건 아니기에
피사가 되어라

흔들리고 무너질 때
억지로 일어나지 말자
기울어진 자체를
사랑해보자
기우뚱한 모습 그대로
세상에 넘어진
또다른 피사에게로 가

기울어지는 법을 알려주어라
수많은 피사의
모범이 되어라

피사가 되어라
세상 모든
불균형들의 균형이 되어라…

겨울

눈발처럼 고운 것이
다신 또 없더라

잔잔한 바람마저
고운 눈발에겐
혹독할테니

눈사람의 입이 되어
웃을 수 있는
눈꽃이 되기를

식어가는 아메리카노
카페 창문에 그려지는
더 아리따운 봄날

돌 산

모두가 특별한 시대,
의미를 잃은 특별함에 안겨
취해버린 이들 속에서

높이 솟은 돌산은
특히 별다르지 않아도
단단하게 스스로를 침식하여
어느샌가 조용히 드러낸다

한 편에서 뚫려가는
동굴의 고통은
깊숙한 메아리로 가두고서
고여가는 빗물마저
깎아내리는 땀방울로
승화시킨 돌산이라서
영원히 광활할
영광이 떠오른다

아직 마주하지 않은 것

학교에 갇힌
참새 고양이
우물 안에서 품은
우물 밖의 두려움
근거 없는 공포
시작 없는 패배

작은 것은
커지려는 준비일지도
미래 없는 현재는
평가될 수 없기에

바보같은 2등이
머무는 세상
강제적인 열의가
가득한 세상

이 모순의 세상에

참새가 독수리로
고양이가 호랑이로
융성할 수 없음은
누구의 규정인가

설백준

가장 무거운
첫 방울이
지면에 떨어지고
지워지지 않을 색의 흔적은
얼마나 강렬했는가

흐릿해진 세상이
다시 선명해질 때
아아, 계단을 구르지 말자

시끄러운 정적 속에서
위에 놓인
가파른 계단을
품어낸다면

색의 면면은
시간으로 다듬어 갈
믿음일지어니

설백에 준하는
도화지 위
색의 존재를
소중히 하라
색의 영광에
집중하라

허수아비의 나이테

가을하늘 공활한데
낮고 볼품없는 허수아비가
그 밑을 웅크린 듯 서있다

참새가 쪼아대고
금빛 물결이 내려보는
그곳을 웅크린 듯 서있다

그대,
허수아비의
여린 팔에 새겨진
나이테를 보라
세월의 침식에
무디지만 분명히 새겨진
역사의 증서를 보라

야윈 모습에 깃든
풍파를 느껴라

공활한 하늘이
두어번 다녀가
결실이 절정을 이루고
허수아비 품에
학사모가 안길 때면
쓰러져도 좋다

네가
숨가쁘게 버텨온
악착같이 지켜온
황금빛 보람 속으로
푸욱 안겨도 좋다

먹구름

먹구름이 훌쩍 몰려와
차마 도망칠 수 없을 때
되려 가만히
먹구름을 맞이해보자

먹구름은 빨리 다가오듯
내 곁을 빨리 지나치리라
생각해보자

나는 조용한데
소음이 먹먹히 밀려들 때
정말 오롯이
먹구름에 안겨보자

무지개가 보고 싶어
먼저 비를 뿌린 것이라
곱씹어보자

아니면

아주 울어보자

먹구름이 어쩌면

흐느낌을 가려줄

마지막 기회이리라

아주,

아주 울어보자

비명(非名)

이상하지 사람들은
그림자가 부끄러워도
조명은 받으려 해

태양이
가장 높이 떠오를 때
감춰있던 그림자가
황혼을 함께한단 걸
모두 알면서도
그저 외면하는 삶

누군가
조명을 받는다는 건
누군가
조명을 비춘다는 것
빛을 쥔 사람은
되려 조명을 비춘다는 것

너무하지 사람들은
소중함을 몰라
모습에 묻혀 동력을 잊어

만연함이
당연함으로
치환되는 세상에
네가 있다는 것
세상에 불리지 못하는
이름이 있다는 것

이름을 빼앗긴
더는 이름이 아닌
비명(非名)
그 비명을 들을 때
네 붉은 꺾인 마음
내 붉은 꺾인 고개

태풍의 눈

바람이 붑니다
휑휑이는 바람에
온 살이 부르틀 것만 같은데
한 발을 더 내딛습니다
한껏 살갗으로 바람을 받아냅니다

바람이 붑니다
외쳐대는 바람에
온 몸이 진동해대는데
한 발을 더 내딛습니다
한껏 가까스로 바람을 버텨냅니다

바람이 붑니다
등 떠미는 바람에도
머리칼은 곧 잠잠하겠지
한 발을 더 내딛습니다
한껏 곧게, '솔'로 바람을 바라봅니다

그렇게 나는
태풍의 눈이 되었습니다

꽃샘바람, 마파람, 황소바람은
그마저 나에게 담겨
새로운 바람을 막아주고
괴롭히던 경험은
자체로 두터운 이불이 됩니다

이제
내 마음의 눈은
태풍의 눈이 되었습니다

빛의 무게가 느껴질 때

무대 뒤에서
가슴에 흐르는
희노애락의 눈물을
지켜보다가

마침내 내가
무대에 오를 때
도전적인
첫 발을 내딛을 때

그 때,
나는
빗발치는 조명 속
빛의 무게에 짓눌린다
무대를 누볐던
주인공들의 모습이
아스라이 느껴진다

장미 한송이가

태양 아래

광합성을 위하여

밤의 어둠 동안

호흡하는 것처럼

잠시 그림자로

들어가본다

혼자 숨 고르며

빛을 양분으로

성장할 준비를 마친다

내 삶을

더 멋지게

공연하기 위해

그림자 속

심호흡의 시간을 가져본다

D-100

대야에 물을 받는다
쏟아지는 물
폭발하는 거품

마지막 100일,
그 날의 물줄기가
멈추는 순간
평생을 꿈꾸며
달려온 눈금이
물 아래 잠긴 순간

수도꼭지를 닫으면
대야의 물이 고요히
일렁이는 거품조차 가만히
깊이 담긴 보석을 비출테니

선배,
서러웠던 3년

울렁이는 기억에
연연하지 말고
새로운 마음으로,
고정할 수 없는 시간이니
여운 한 톨 남지 않도록,
이뤄내는 100일이 되길

눈물샘

우리가 함께한 나날들은
빗물에 적셔진 사진이었다

빗물은 때론
차갑게 굳어 눈이 되고
눈은 다시 하염없이 녹아
눈, 물이 되었다

눈물의 조각이 고여
그려낸 너의 샘에
위로의 글을 휘저어본다

고요한 물 위로
자꾸만 드리워지는
세상의 먹구름들은
너의 투명함을 증명한다고
둘러보니 주변이 온통 흙탕물뿐인 건
어쩌면 우리 눈물샘이 너무 맑아서라고

붉지 않음

어째선가
모든 화살표가
나를 향하는
기분이 든다

하나같이
붉게 울리면서
보이지 않는
화살표조차
보이는 듯하다

착시를 투시로
착각하던 날
세상은 온통
불그스름했다

연필이,
종이가,

끝내 밤하늘마저
붉어지면
점차 깨닫더라

삐뚤어진 건
내가 아닌
화살표라고
마음을 꾹
감았다 뜬다
접었다 편다

주위에 놓인
화살의 촉들이
이제는 제 곳을 바라보고
세상은 제 색을 되찾는다
나는 옆에
고요히 앉아
나의 어깨를 즐긴다

세상의 모든
어깨를 내려놓고
한결 가벼워진
나의 어깨를 즐긴다

2화 뒷이야기

#응원 #공감 #같이_이겨내자

하루 24시간 중 보통 오후에 성취해야 할 일과가 가장 많지만 아침 6시에는 고작 잠자리에서 일어나는 것이 가장 중대하고 어렵게 느껴지는 것처럼, 인생을 24시간으로 볼 때 이제 고작 아침 5시, 6시 정도에 놓인 고등학생은 눈앞의 대학 입시가 가장 중대하고 어렵게 느껴진다. 성인이 되고 무수한 장애물이 많음을 알지만 아직은 18년간 이불의 보호 아래 가만히 웅크리고 있던 것이 전부이기에, 성공적으로 이불을 박차는 것이 가장 두렵고 힘들다.

[피사가 되어라](p.32), [아직 마주하지 않은 것](p.36), [설백준](p.38), [빛의 무게가 느껴질 때](p.48)는 학업에 대하여 특히 힘들어 하는 친구들을 위해 선물한 작품들이다. [겨울](p.34), [돌산](p.35), [허수아비의 나이테](p.40), [태풍의 눈](p.46)은 고등학교 생활 전반에 대해 피로를 느끼는 친구들을 위한 응원이었으며, [먹구름](p.42), [비명(非名)](p.44), [눈물샘](p.52), [붉지 않음](p.53)은 인간관계에 고민하는 친구들을 위한 위로였다.

특히 수능을 100일 앞둔 시점, 친한 선배님께 선물 드렸던 수능 응원 시 [D-100](p.50)은 나에게도 큰 의미를 지닌 시였다. 중학교 1학년 때, 수능을 봤던 나의 친형을 위해 응원 시를 적어 주었던 적이 있는데, 시간이 흘러 학교 선배님께 시를 써 드리고, 내년에는 내가 이 시를 읽으며 힘을 받게 된다는 점이 시간의 속도를 체감하게 했다.

나는 [피사가 되어라]의 마지막 연이 결국 '제2화 잘 이겨내고 있어서'의 모든 이야기를 품는다고 생각한다.

피사가 되어라
세상 모든
불균형들의 균형이 되어라...
- [피사가 되어라] 中 -

내가 힘들 때, 우린 누구나 흔들린다는 것을 되새기자. 이미 무너졌다면, 위기를 극복하고 불균형의 아이콘이 된 피사처럼 남들이 나를 본보기 삼을 수 있도록, 후회 대신 불균형의 균형이 되어보자.

제3화 덕분에 힘이 나서

모래 두 알

해변가의 수많은 모래알 중
너와 나
두 작은 것이
같은 파도를 맞이하는 게
축복 같아서

바닷바람이 매서워도
너와 나
두 작은 것이
서로 공감할 수 있다는 게
축복 같아서

구름이 해를 가려도
사람이 나를 밟아도
소중하게 느껴졌다

이 축복이 모여
한날 모래알들에게

진흙을 선사한다

휩쓸리지 않고
파도를 껴안을 힘으로
장애물을 넘는다
마주친 두 눈으로
서로가 서로에게
운치 있는 미래를 선물한다

낙서

공허함이 새긴 낙서는
강한 지우개로
닦아내는 것이 아니다

물 한 방울
또륵
스며들도록

스며들어
마음의 부를 채워주도록

부족함에서
'부'를 얻으면
'족함'만이 남을테니

스며드는 방울방울
너의 말소리로
족한 마음을 지닌다

오로라

북극의 오로라가
아름다운 것은
추위를 이겨내는
빛인 이유다

무정한 사회
차갑게 식어버린
사람들의 관계 속에서
홀로
영롱할 수 있는
너를 보며

그 오로라에
닿으려 손을 뻗는다
신비의 빛깔이
바람을 타고
촉촉이 스민다

미소

이삭줍던 사람들이
시끌하던 만찬이
별이 빛나던 밤하늘이
옴싹달싹 못하게
벽 위에 네모
세상을 멈춰놓은 창문

그 옆에 앉은 여성과
한 켠의 미소
흔한 모습 아래 품은
귀한 것

진실한 미소가
사라진 이 자리에
흘린 미소
높아지는 가치

멈춰선 창 밖에서

우릴 비추는 그녀처럼
나도 창 밖을 향해
작지만 아름답게,
미소(美小)

식물이 되고프다

최고의 승리는
적장의 죽음이 아니라고
손자병법에서 말했다

잡아먹어야
이겨내는 현실이라서
누군가를 뜯지않고
스스로 살아갈
힘과 양분을
채울 수 있는
식물이 되고프다

천재지변에도
거동조차 없이
올곧이 스스로를 지키려는
그들에게 경탄의 박수를 보낸다

눈을 감고

꿈을 새긴다
난 저급한 강함보다
떳떳한 약함을 지니겠다

시간 여행

이 악물고
견디지 않아서
버틸 수 있는
시간이다

네 웃음만이
억겁의 족쇄에
열쇠가 될 시간이다

멋대로
시곗바늘이
뒤척거릴 때면

너는
시계를 다잡는
남들 곁에서
너를 다잡을
용기를 쥔다

요동치는 시간의
머릿결을 따라
몸을 맡긴다

너는 그렇게
모든 시간에 빠져본다
너의 방식으로,
시간을 여행한다

여백의 미

수많은
밤하늘의 별을
가려버린
잿빛의 무심함 속
미소로써
북극성이 된
너를 위하여
먹구름을 걷어준
빛의 온기를 위하여

색을 잊은 나에게
선물해준 팔레트로
손맞잡은 우리의
수채화를 그리겠다

흰구름이
먹먹하게 적셔져도
너의 하늘을

침범하진 못할테니

먹구름을 본 날이면
네 하늘 아래
새가 되겠다
먹물 퍼진 세상 아래
여백의 미가 되어준 것에
고마움을 전하겠다

3화 뒷이야기

#긍정 #미소 #견디는_힘

2화에서는 시가 친구를 위로하는 역할이었다면 3화의 시에는 오히려 위로받은 내가 친구들에게 보내는 고마움이 표현되어 있다. 긍정적이고, 외향적인 성격의 나임에도 항상 고등학교 생활을 마냥 웃어넘기기는 힘들다. 피곤에 찌들어 우울한 나를, 웃음으로 치유하는 친구들에게 항상 고맙다.

남을 웃게 할 수 있다는 것은 남을 행복하게 해줄 수 있다는 의미이기도 하다. 과정을 중시하는 사회로 변해가고 있다지만 고등학교 내신의 상대평가와 등급제는 여전하며 불쑥불쑥 친구가 적으로, 우정이 경쟁으로 보이는 착시를 걷어내기란 쉽지 않다. 가장 공감받을 수 있는 친구에게 마음속 어딘가 찜찜함이 자리 잡고 있다면 완전한 진심을 열 수 없으며 내가 진심으로 남을 대해도 정작 친구가 나를 적으로 본다면 노력은 가치를 잃는다. 진실하면 손해 보는 구조라는 인식이 학년을 더할수록 팽배해진다. 경쟁이 가져오는 악순환인 셈이다. 그래서 항상 웃어주고 공감 해주는 친구들이 무척 고맙다. 나를 친구로서 바라보는 것이 느껴져서 '함께' 고등학교 생활을 견뎌내는 것이 가능하다.

작품마다 조금씩 다른 소재가 달랐던 1, 2화와 달리 3화는 모든 작품이 미소, 긍정, 협력, 우정을 다룬다. 어쩌면 그만큼 내게 힘이 되는 친구들은 공통점이 많다는 의미라고 이해할 수도 있다. 그 공통점을 관통하는 시구를 찾으라면 [여백의 미]의 마지막 3행이 아닐까 생각한다.

먹물 퍼진 세상 아래
여백의 미가 되어준 것에
고마움을 전하겠다
- [여백의 미] 中 -

진실한 우정을 숨겨버린 고등학교 시스템에서 그 보석을 찾아내는, 아니 만들어 내는 친구들. 진심으로 대해주는 친구들을 보며 나도 많이 배운다.

주변 상황에 휩쓸리지 말자. 내가 꿈꾸는 행복의 유토피아를 실현시키자.

제4화 내게 이런 사람이라서

참새의 삶

길가
낙엽 옆에 홀로
작은 날개 모은
아스라한 생명

하이얀
호기심의 생기가
거뭇한
혐오의 찡그림되고
추적추적
도망치는 눈빛들

참새의 죽음을
볼 수 있는 장님이여
저 생명의 삶은
'참' 새로서의 삶이었는데
그대의 삶은
'참' 인간으로서의 삶인가

솔의 기억

개나리, 코스모스, 단풍, 매화를
담아내다가
솔을 잃었었네 그저

반지하로 올라가는
어둑하게 밝혀진 계단 옆
하릴없이 누운 솔잎은
그 자체로 숨쉬는 중이었으니
더없이 평범한 솔잎도
시간을 극복해낸 결실이었다

근본에 눈을 대기 전이었다
솔을 잃은 나날이었다

오아시스

호수에 가치를 더하려
필요한 것은
사막의 모래바람이다

따가울 태양,
따가울 모래,
사막을 직면하면

아아,
마침내 호수가 누리는
오아시스의 영광

그 호수에게
바늘 하나가 쥐어지면

바늘은 모두를 엮고
나침반이 되어
길을 터낸다

오아시스를 감싸줄
모래성을 쌓아낸다

체크메이트

문득 외로워질 때
구석에 틀어박혀
고개를 떨굴 때가 있다

눈앞을 메우는
폰조차도
꽉 막힌 벽돌로
여겨질 때

넌 가지런한
두 눈으로
나를 본다
다가선다

그렇게
동반자의 존재를
확인해준다
체크(check)한다

메이트(mate)를

나를.

체크메이트

영원할 친구이기에

말할 수 있다

체크메이트는

항상 승리한다고

우주

여태 나는 네게
나의 별들을 보여주려했다

어쩌면 고작 반딧불이마저
저 하늘 높이, 별인 양
너에게로 날아가도록

그 별빛들로
너와 나를 이을
은하수를 만들었다

언제부턴가
네게서 열리는 문이 보이고
스며드는 것은 외치는 듯 했다

만들지 않아도
만들어지는 것이 은하수라고

그래서 이제 네 곁에선
별을 사모하지 않겠다
우주를 담는 눈망울에
별만 담기엔 허무해서

그래서 이제 네 곁에선
별을 사모하지 않겠다
흐려가는 별똥별을 보라
진한 여운을 남기고도
끝내 떨어지는 별이다

별도 떨어지는 세상에서
서로 떨어지지 않을 우리라서
너에게 별 대신 우주를 건낸다

그래서 이제 네 곁에선
별을 사모하지 않겠다

깊은 우물

물이 없는
깊은 우물에
물이 한가득 차오를 때

비로소
세상을 담는
영광스러움이 보인다

두레박이 되고 싶다
끝없이 한없는
물의 샘에
푸　　욱 빠져
퍼내고 싶다

흐르고 흘러
너를 밀쳐내는 이들이
마침내 네 안에 멈춰설 때

그렇게
자연의 이치를
너는 한없이 품어낸다

두레박이 되고 싶다
끝없이 한없는
물의 샘에
푸 욱 빠져
퍼내고 싶다

순록의 세상

온통 하얀
눈의 세상 위를
걷는 순록들이 있다

순록에게 묻어나는
갖가지 색깔은
구름이 퍼질러진 듯
새하얀 땅을 만나
숨김없이 색을 뽐낸다

감추고 숨기고 덧칠하는
암흑의 세상에
적나라한 색감이
어색해보여도

한껏 획일화된
이곳에서
여백의 미가 되어

백과 흑이 조화하는 세상
그 순록의 세상을
그려낼 열쇠이리라

Viva La Vida

난세에 나선
네가 말하길
어울리지 않는 비판의 판에
난 판을 바로 하겠다

복숭아 꽃마저
생기를 잃어가는
바싹 마른 가지 위
방울방울
증명의 열매가 맺어질 때

남의 의심보다
더 큰 너의 믿음으로
뱉어낸 말처럼
비난과 비판은 씻겨지고
비바
라 비다

아!

여우조차 없는 굴에

나타난 호랑이 한 마리

Viva La Vida

붉은 바다

물길에 스러지던 불길 속에서
물을 삼키는 불기둥이
처음 아른거린 날이다

항상 그리 꿈꿔오던
상상이라 여겨오던
존재를 확인하고선
뛰는 심장은
18년을 푸르러 온 바다에
한스푼의 붉음을 부었다

부러움이 그려온 붉으런 물이
현실의 돌부리에 걸려
소용돌이 칠 때
붉으런 물이 끌어온 부끄럼

인위의 색감을
도로 흘려내고는

다시 처음처럼,

다만 너의 노을을 비춘다

4화 뒷이야기

#존재 #개성 #너의_의미

주위에 조금만 더 집중하면 사람들의 개성이 보인다. 그리고 개성이 보인다면 그 사람의 행동 하나하나가 더 재미있게 느껴지고 자연히 관심이 간다. 하나의 큰 줄기에 따라 시들을 엮었던 1화, 2화, 3화와 다르게 4화는 개성이라는 주제로부터 잔가지를 뻗어 주제처럼 개성 넘치는 시들을 담았다. 평소 학교생활을 하면서 꼭 얘기해주고 싶었던 친구만의 개성을 녹여내거나 나에게 그 친구가 지니는 특별한 의미를 담아 선물해 준 시들이다.

[참새의 삶](p.76)으로 친구의 도덕을 칭찬하고, [솔의 기억](p.77)으로 오랜 추억을 되새기고, [오아시스](p.78)로는 힘든 환경에도 노력을 잃지 않는 친구를 칭송했다. [체크메이트](p.80)으로 우정, [우주](p.82)로 인간관계 방식, [깊은 우물](p.84)로 끈기 및 생각의 깊이를 강조한 것도 친구들의 가장 돋보이는 특징들을 시에 담은 것이며 [순록의 세상](p.86)에서 순수함과 [Viva La Vida](p.88)에서 리더십, [붉은 바다](p.90)에서 카리스마를 표현한 것도 마찬가지다.

다소 장황하게 작품별 주제를 나열 해두었지만 4화는 분명 독자마다 시에 대하여 정말 다양한 해석이 나올 수 있는 부분이다. 독자에 따라 경험했던 사람들, 같은 개념을 두고 떠올리는 형상이 너무나 다르기 때문이다.

시를 읽는 것에 정해진 답은 없다. 나는 심지어 창작자의 의도조차도 정답이라고 말할 수 없는 것이 시라고 여긴다. 본인에게 맞게 시를 이해하는 것. 그것 또한 개성의 발현일테니 독자 당신의 해석이 곧 이 시의 옳은 해석이다.

획일화 되어가는 세상에 묻히지 않도록 개성을 갈고닦자. '나'를 지우지 말자.

제5화 다시, 보고 싶어서

이별에 대하여

날카로운 바람에
내 팔을 찔려도
놓기 싫은 잎새가 있다

길고긴 나뭇가지
내 팔 어딘가,
자리잡은 공간은
무척 작은데
그 빈공간은
너무 거대한
작은 거인이 있다

성장을 위한
이별이 요구된 지금,
지푸라기조차 잃은
공허함에 대하여
"잘 지내"라는 말로써
포장지를 두른다

눈에 눈이 맺힐 때면

텅 빈 마음을

애써 붙들고

씁쓸한 미소에

희미한 희망의 뒷맛을 남긴다

다시금 나를 스쳐가기를

시원한 바람에 실린 네가

보이는 그 날이

자꾸만 눈에

김이 서린다

나에게서 머얼리

예뻤던 기억을 덮는다

잘

지

내

뫼비우스의 띠

뫼비우스의 띠를
사이에 두고
발을 맞댄 우리는

같은 목적지를
같은 방향으로
같이 대화하며
걷는 중이다

만나지도 못할
그러나
가장 가까울
동반자가 된다

경쟁의 세상에 놓인
만남의 대가는
승패 뿐일테니

있지만 없는 존재여서
어쩌면 다행이다
가까워도 너무 먼 존재여서

지하철에서

운명이란 이름 아래
곧게 뻗은 길을
돌이키지 않고
올곧이 달리는 지하철에서

열일곱번째 역,
네가 지하철에 발을 들인 곳.

단단히 붙잡은 채
은근히 곁눈을 채워주는
겨울의 마지막 잎새처럼
없는 듯 있는 네가
있는 듯 없기엔 공허할테니

어느 역에선가 지하철을 내려도
이따금 돌아봐주길
스쳐간 승객으로 남기엔
너무 느껴질 공백이기에

불꽃놀이

사람은 저마다의
지구를 가진다

그 사람의 가치관은
한 곳에 담겨
지구를 메울
주인공이 된다

피타고라스에겐 수의 정원이었고
탈레스에겐 물의 정원이었던
이 땅 위에
넌 불씨를 뿌리고
불타는 나무를 곳곳에 키우더라

봄이 되면 불꽃이 피고
폭죽놀이가 그 자리에 만연하겠지

그 때, 다시 만날 수 있길

시선을 잠그다

처음 내가 본 너는
까마득했다

세상의 로빈슨 크루소들을
이어주는 다리의
다리의 다리를 지나서야
보이려는 사람이었다

그런 우리가
시공간에 떠밀려
다리를 하나씩 건너고

깊은 곳에서
같은 순간을
맞잡게 되었다
맞잡으니 늦은 것에 아쉽고
아쉬우니 자꾸만 돌이키고파

후련할 수 없고
회복될 수 없음이
후회이기에
과거는 떨치고

망망대해에서 만난
각별한 존재를
망각하지 않도록
미래를 담는다

미래에,
시선을 잠근다

졸업의 기억

1년을 넘는
문턱에 서서
수년이 지난
졸업의 날을
되돌아 본다

끝의 해방감을
마주하기도 전에
불쑥 찾아온
시작의 압박을
대면해야했기에

나는
벽과 벽의 옆에
한껏 쪼그려
저린 다리를 안고
일찍이 주름 잡힌
미간과 대화했다

졸업장을 품은
수많은 사진 너머
누가 당겨놓은 입꼬리
행복 없는 기대
웃음기 없는 미소

끝과 시작의 경계에 서서
밤과 새벽의 연결점이 될
가로등을 잃은 나그네처럼

쏟아내지 못해
가슴에 굳은 빗물들이
끝내 굳어진 날이었다

더는 어리지 못할
고등학생이 되어
다시 태어난 날이었다

그렇게 그 날은
맛조차 보지 못한
돌을 삼킨 생일이었다

5화 뒷이야기

#이별 #약속 #언젠가_다시

항상 마지막은 이별이다. 1화 뒷이야기에서 말했듯, 만남은 이별로 이어지기 마련이고, 이별은 재회의 가능성을 열어준다. 5화에는 좋은 이별, 우울한 이별, 무덤덤한 이별, 그리운 이별이 시에 골고루 나타난다. 현실에서도 마찬가지다. 고등학교 문학 시간, 고전소설에는 해피엔딩이 많다고 배우지만 정작 현실에서는 서로 웃으며 이별하는 것이 참 힘들다.

다만, 아픈 이별이라고 꼭 부정적으로 생각할 필요는 없다. 아픈 이별은 다른 이별의 경험치가 되고, 같은 절망을 다시 겪지 않을 토대가 되어준다. 한층 성장할 기회가 되는 것이다. 몸에 좋은 약이 입에 쓰듯이, 더 가슴을 후벼파는 아픔일수록 이를 잘 극복했을 때 더욱 정념으로부터 초연해질 수 있다.

[이별에 대하여](p.96)와 뫼비우스의 띠](p.98)는 고등학교 1학년에서 2학년으로 올라올 때, 문과와 이과로 계열별

선택이 갈리면서 이별하게 된 친구들에게 쓴 시다. [지하철에서](p.100)과 [시선을 잠그다](p.102)는 2학년 말이 다가오면서 이별이 가까워지는 친구들에게 다음을 기약하며 쓴 시이고, [불꽃놀이](p.101)와 [졸업의 기억](p.104)은 중학교 졸업 때 이별했던 친구들에게 당시의 감정을 회상하여 적어 준 작품이다.

그 중 특히 문과와 이과의 계열 차이로 이별하게 된 같은 상황에서 쓴 작품임에도 불구하고 [이별에 대하여]의 1연과 [뫼비우스의 띠]의 마지막 연은 완전히 다른 분위기를 보인다.

날카로운 바람에
내 팔을 찔려도
놓기 싫은 잎새가 있다
- 이별에 대하여 中 -

있지만 없는 존재여서
어쩌면 다행이다
가까워도 너무 먼 존재여서
- [뫼비우스의 띠] 中 -

[이별에 대하여]는 이별에 초점을 맞추어 슬프고 아쉬움을 토로했다면, [뫼비우스의 띠]는 이별은 슬프지만 이별하지 않으면 서로 경쟁해야 하는 사회적 현실에 초점을 맞추어 한편으론 안도하고 있다.

이별은 항상 이런 식이다. 내가 어떻게 바라보느냐에 따라 그 의미가 전혀 달라진다. 이렇게 이별에 대해 최대한 다양한 관점에서 바라보는 것도 이별의 아픔을 극복 해내는 한 가지 방법이 될 수 있지 않을까.

이별에 너무 절망하지 말자. 이별을 밑거름으로, 성장한 내일을 설계하자.

시인으로서, 권강우

‘출판’은 항상 제 버킷리스트 최상단에 위치한 목표였습니다. 그런 제가, 이를 이루고 어엿한 시인이라는 꿈에 한 발짝 다가선 이 순간이 좀처럼 믿기지 않습니다. 이 시집이 우리 학교 친구들, 나를 아는 사람들, 그리고 종이 너머 나를 알게 된 독자들 모두에게 하나의 영감으로 작용하면 좋겠습니다.

18살에 자신이 쓴 책을 출판한다는 것은 정말 귀한 경험입니다. 이 기회를 주신 자가출판플랫폼 부크크와 시를 함께 즐겨준 친구들에게 감사 인사를 전합니다.

감사합니다.

+인스타그램 @poem_._poetry에서 더 많은 시를 즐길 수 있습니다